L'enfant du toit du monde

Texte de Françoise Guillaumond
avec la participation de Sylvia Dorance

Illustrations de Vincent Dutrait

MAGNARD

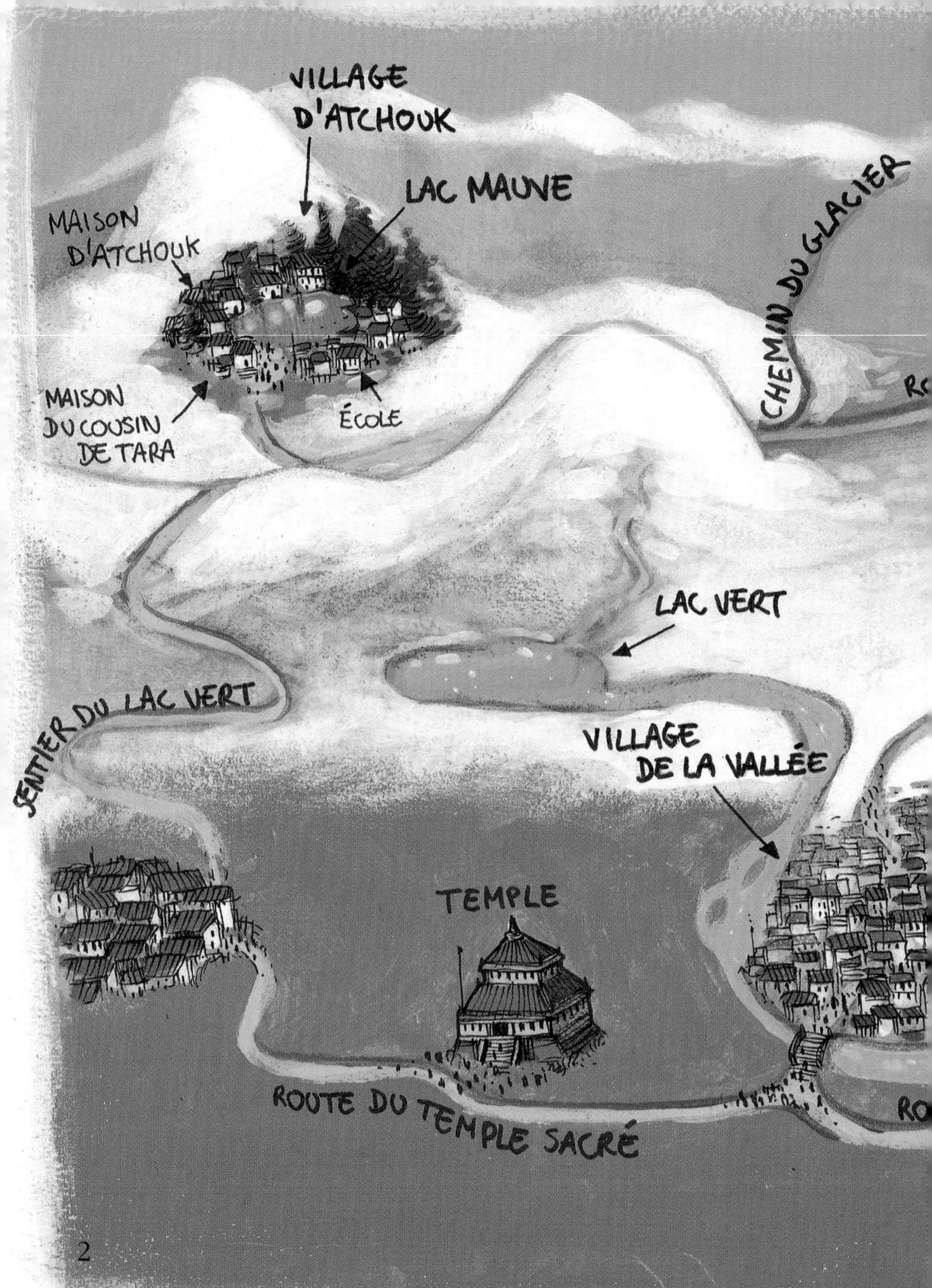

VILLAGE D'ATCHOUK

LAC MAUVE

MAISON D'ATCHOUK

CHEMIN DU GLACIER

MAISON DU COUSIN DE TARA

ÉCOLE

LAC VERT

SENTIER DU LAC VERT

VILLAGE DE LA VALLÉE

TEMPLE

ROUTE DU TEMPLE SACRÉ

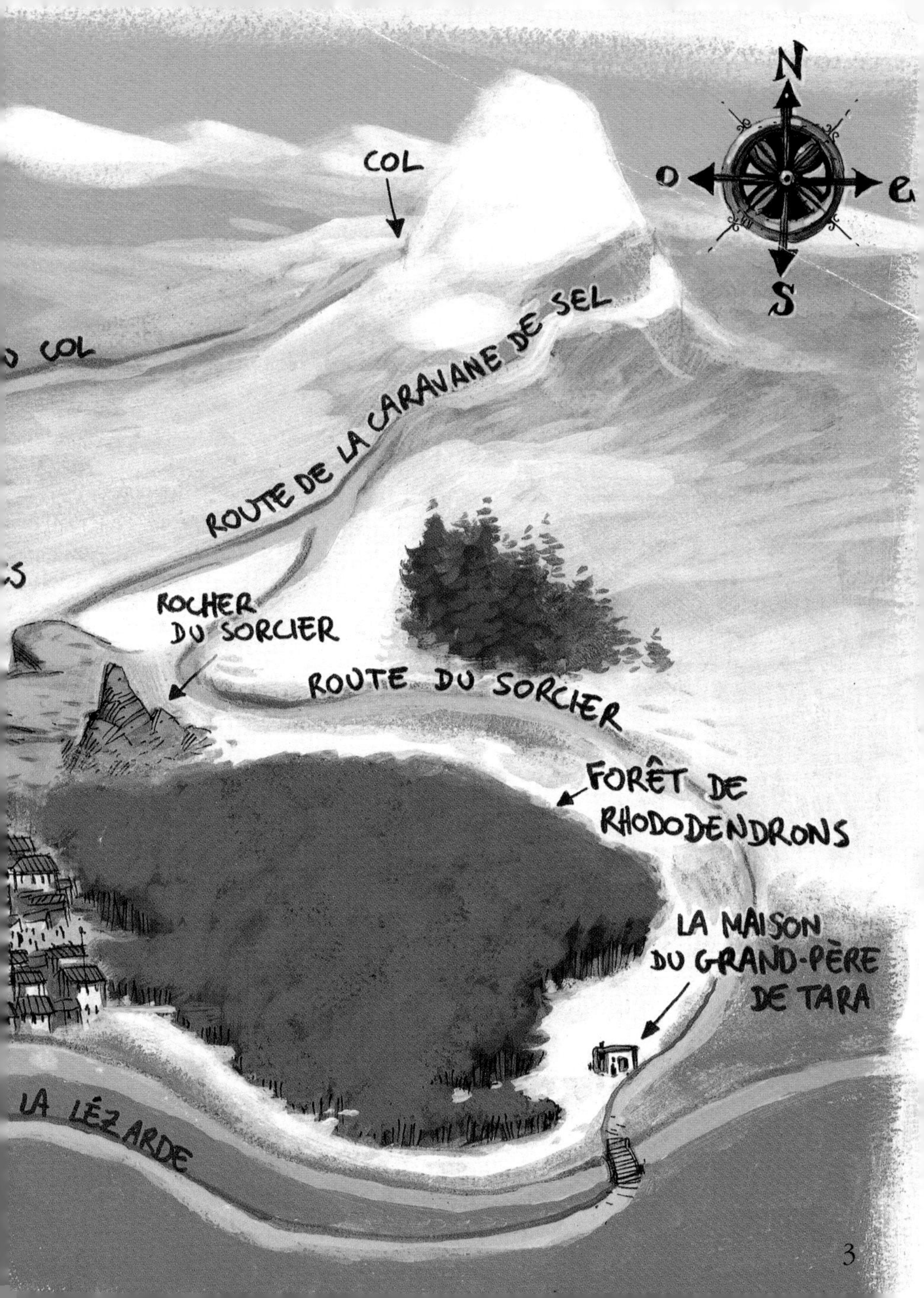
N
O
E
S
COL
COL
ROUTE DE LA CARAVANE DE SEL
ROCHER DU SORCIER
ROUTE DU SORCIER
FORÊT DE RHODODENDRONS
LA MAISON DU GRAND-PÈRE DE TARA
LA LÉZARDE

1 Le départ

Atchouk habite sur le toit du monde,
au bord du lac mauve.

Là, les montagnes sont si hautes
qu'elles arrêtent les nuages.
Il y a « Le grand séjour des Neiges »
qui domine le plateau, « La montagne que
nul ne peut atteindre » au bout de l'horizon
et « La montagne blanche » qui brille au soleil.
Ici, pas un arbre ne pousse.
Tout est blanc ou gris.

Atchouk va à l'école près de son village.
C'est là qu'il a rencontré Tara.
Elle vient de la grande vallée.
Quand son grand-père est tombé malade,
elle est venue vivre chez un cousin.
Elle répète souvent à Atchouk :
– Quand l'école sera finie,
grand-père viendra me chercher. Il l'a promis.

Mais l'école est finie et personne n'est venu chercher Tara. Atchouk la regarde froncer les sourcils. Il voit bien que Tara est inquiète.
– Ne sois pas triste petite étoile, lui dit-il.
Je vais te raccompagner chez toi.

Atchouk et Tara se mettent en route.
Ils emmènent avec eux Rati,
le petit yak au poil noir comme la nuit.

Le soir, Atchouk allume un feu.
Avec du lait de yak et de la farine de tsampa,
Tara fabrique des galettes. Puis elle parle
de son pays, là-bas, dans la grande vallée.
Elle raconte à Atchouk les arbres
qu'il n'a jamais vus.
– Tu verras comme leurs feuilles sont douces...
– Douces comme quoi ?
Mais Tara dort déjà.

2 Le passage

Pour aller dans le pays de Tara,
il faut franchir un col.

Les enfants grimpent toute la journée.
Tout à coup, Atchouk s'arrête.
Au fond d'un grand trou, sur le bord de la piste,
une panthère tourne en rugissant.

Un petit miaulement sort d'un buisson
tout proche.
– Regarde, Atchouk !
Atchouk fronce les sourcils.
La mère panthère est tombée dans un piège.

Il faut la délivrer, sinon le bébé va mourir.
Atchouk et Tara cherchent une longue branche.
– Attention Tara, on compte jusqu'à trois,
on glisse la branche au fond du trou
et on se sauve...

Un, deux, trois...
La panthère bondit vers son petit.
– Vite Tara ! Cours !
Rati le petit yak court lui aussi.
Ouf ! La panthère a disparu. Le col est passé.
Les enfants s'arrêtent un instant pour souffler.

3 Le ravin

De l’autre côté du col,
les enfants prennent la route
de la caravane de sel.

Atchouk connaît bien ce chemin-là.
Son père lui en parle souvent.
Un sentier descend le long du précipice.
– Marche derrière moi, Tara, et tout ira bien.

Mais le sol tremble sous leurs pieds,
les pierres roulent.
– Avance Tara, vite ! Le chemin s'écroule !
Trop tard. Tara glisse au fond du ravin.
– Tara ! Tara ! Où es-tu ?
Seul l'écho répond :
– Où es-tu... es-tu... tu...?

Atchouk se penche. Tara est là, quelques mètres plus bas, sur le bord d'une corniche. Soudain, un éclair blanc bondit par-dessus Atchouk. C'est la panthère. Elle saute sur la corniche.
– Tara, accroche-toi à son pelage !
La panthère remonte Tara et disparaît.

Atchouk serre Tara contre lui.
– Comme j'ai eu peur ! murmure Atchouk.
– Moi aussi, dit Tara.
Rati le petit yak lèche la main de la fillette.
– Tu iras devant avec Rati, propose Atchouk.
Je marcherai derrière.
Les enfants se remettent en route.
Le sentier s'élargit peu à peu.
Enfin, ils arrivent devant un gros village
au bord de la rivière.

4 Le village

Atchouk n’a jamais vu un aussi gros village.

Rati le petit yak, non plus.
Il avance en tremblant. Atchouk passe le bras autour de son ventre pour le rassurer.
– N'aie pas peur mon petit yak. Je suis là.

Au centre du village, un grand arbre se dresse.
Ses feuilles sont larges et douces.
Elles ont la forme d'un cœur.
Atchouk oublie tout, même Rati.
Il court vers l'arbre. Il lève les yeux :
l'arbre touche le ciel. Il le prend dans ses bras.
Mais impossible d'en faire le tour :
le tronc est trop gros.
Tara regarde Atchouk, amusée. Elle lui dit :
– C'est l'arbre aux mille feuilles qui dansent.

Tout à coup une musique éclate sur la place. C'est un musicien-sorcier qui frappe sur un tambour. Il frappe de plus en plus fort, de plus en plus vite. Rati le petit yak a très peur. Il fait un bond en arrière et bouscule un porteur. Les marchandises tombent par terre. Atchouk a beau l'appeler, le petit yak est paniqué. Il n'entend plus rien. Il se sauve et renverse tout sur son passage. Un morceau d'étoffe tombe devant ses yeux. Une guirlande de fleurs sur chaque corne, il court aussi vite qu'il peut. Les enfants courent derrière lui.

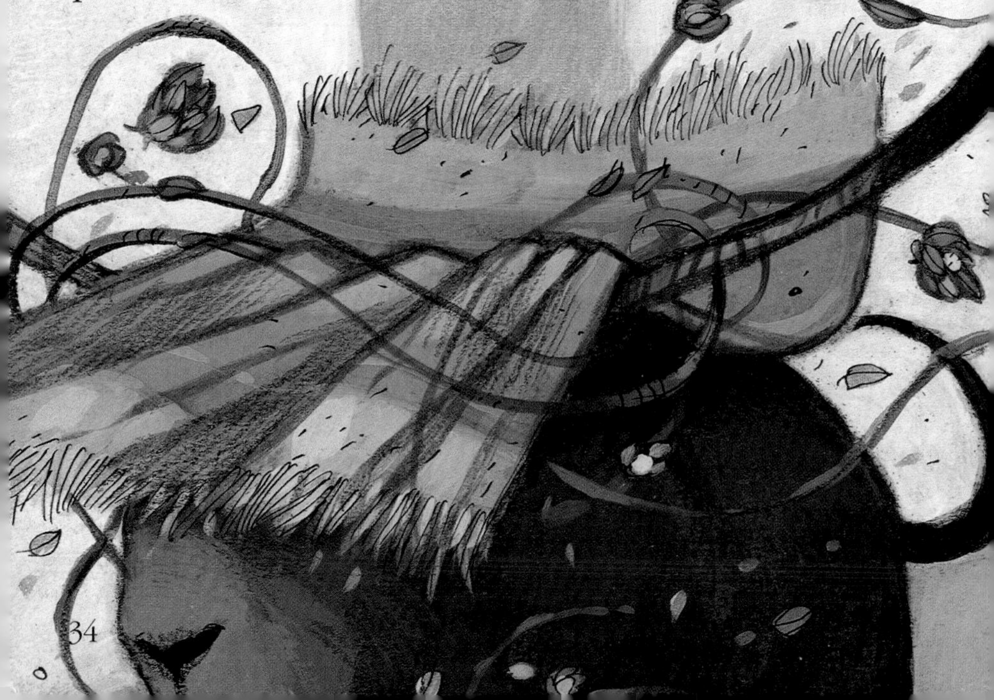

5 La forêt de rhododendrons

Rati galope vers la forêt de rhododendrons.

– Suivons-le, dit Tara, c'est le bon chemin.
Dans la forêt, Rati le petit yak se calme enfin.
Atchouk est émerveillé :
comme les arbres sont nombreux !
Comme ils sont beaux !
Les yeux de Tara brillent de joie.
– La maison de grand-père est juste
de l'autre côté...
Mais Atchouk n'est pas pressé de quitter
la forêt. Tout est si nouveau pour lui :
les odeurs, les fleurs, le soleil qui joue
à cache-cache entre les feuilles.
Il voudrait tout voir, tout sentir,
tout connaître.

Le temps passe vite.
Déjà la nuit tombe.
Les chemins sont tous pareils
et la forêt n'en finit pas.

– Je crois que nous nous sommes perdus, dit Atchouk.
– Ne t'inquiète pas, le rassure Tara, je sais comment retrouver notre chemin.

Tara tend la main vers un arbre.
De la mousse recouvre le tronc sur le côté nord.
– Ce sont les arbres qui nous guideront.
Regarde : le sud est par là.
D'arbre en arbre, les enfants avancent dans la forêt de rhododendrons.
Rati le petit yak les suit.
– Ça y est ! Nous avons réussi : je vois la maison de grand-père !

6 L'arrivée

Devant la porte, le vieil homme se redresse.

Il a entendu la voix de la petite fille.
– Grand-père ! Grand-père ! C'est moi, Tara.
Voici Atchouk, mon ami, et son petit yak Rati.
Grand-père serre Tara dans ses bras.
– Ma petite Tara, j'ai été si malade.
Mais te voilà et je me sens presque guéri.
Tara et Atchouk racontent leur voyage.

Ce soir-là, Atchouk se couche près de Tara. Il passe la main dans les cheveux de la petite fille. Ils sont doux comme les feuilles de l'arbre aux mille feuilles et ils dansent sous les doigts du petit garçon. Tara dit merci à Atchouk dans le creux de l'oreille et elle ajoute :

– Peut-être bien que je te raccompagnerai chez toi, moi aussi.

TABLE DES MATIÈRES

Loi n° 49-956 du 16-07-1949 sur les publications destinées à la jeunesse.

Dépôt légal : mai 2002

N° d'éditeur : 2003/443

Imprimé en France par Pollina, 85400 Luçon - n° L91148